Virginia WOLF

Kyo Maclear

Isabelle Arsenault

miau

Un día mi hermana Virginia

se despertó sintiendose algo lobuna.

Ella hacía sonidos de lobo,

y cosas muy extrañas...

Mientras le pintaba un cuadro,

ella gritó,

—¡VANESA... NOOOOOOO!

Cuando sus amigos llamaron a la puerta, ella gimió:

—¡NO ESTOY EN CASA!

Y así los echó a todos.

Y me dijo: —¡NO LLEVES ESE VESTIDO AMARILLO TAN ALEGRE!

(Mi vestido favorito)

—¡NO HAGAS TANTO RUIDO AL LAVARTE LOS DIENTES!

Incluso le dijo al pájaro:

—¡PARA ESE ALBOROTO!

Menudo lobo más mandón.

La casa entera se hundió.

Lo de arriba se puso abajo.

Lo brillante se volvió sombrío.

La alegría dio paso a la melancolía.

Hice todo lo que pude para animarla.

Le ofrecí chucherías, y las tiró todas al suelo.

Todo daba igual. Nada de lo que hiciera parecía agradarla.

Ni el gato, ni mi violín. Ni siquiera hacerle

burla a nuestro hermano Toby.

Se tapó con las mantas hasta arriba y gritó:

— ¡DÉJAME SOLA!

Ya no dijo nada más.

A nadie.

Me tumbé junto a ella en la cama.

Éramos dos bultos quietos bajo la manta.

Nos hundimos profundamente entre las almohadas.

Miramos por la ventana y observamos fijamente el cielo.

Entre las nubes había un barco de vela,

una llama voladora y un castillo flotante.

Era como si viéramos otro mundo.

Pero aún así, mi hermana no decía nada. A nadie.

Después de un rato dije:

—Debe de haber algo que haga que todo esté mejor.

Por favor, Virginia. Di algo.

Finalmente me contestó:

—¡SI PUDIERA VOLAR AHORA MISMO
ME SENTIRÍA MUCHO MEJOR!

—Si pudieras volar, ¿dónde te gustaría ir?

Abrí su atlas y cité unos cuantos sitios.

París. Tokio. Ciudad de México...

—¡NO, NO, NO! —dijo ella.

—¡SI PUDIERA VOLAR IRÍA A UN LUGAR PERFECTO. UN LUGAR CON PASTELES GLASEADOS, PRECIOSAS FLORES Y GRANDES ÁRBOLES A LOS QUE TREPAR Y DESDE LUEGO NADA DE MELANCOLÍA!

—¿Dónde está eso? —pregunté.

Ella pensó unos instantes y contestó: ¡BLOOMSBERRY POR SUPUESTO!

—¿Bloomsberry? Nunca oí hablar de ese sitio.

¿Está cerca de Burlington? —pregunté de nuevo.

Ella negó con la cabeza y suspiró. —¿Búfalo? —dije.

—¡NO CREO!

—Gruñó y volvió a meterse bajo las mantas.

He hojeado su atlas pero no he encontrado Bloomsberry.

Ningún lugar es perfecto.

No se lo dije a mi hermana.

Pero tenía una idea.

Encontré mi caja de pinturas
y una pila de papel y salí de puntillas de la habitación
mientras mi hermana dormía la siesta.

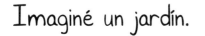

Imaginé un jardín.

Pinté árboles y extrañas flores de caramelo
y brotes verdes y pasteles helados. Pinté hojas que
le decían S̲h̲h̲h̲h̲ al viento y fruta que crujía, y poco
a poco he creado un lugar llamado Bloomsberry.
Lo he creado así como sonaba.

Mi hermana se despertó.

Al principio estaba muy ocupada aullando a la luna
para darse cuenta lo que yo estaba haciendo.

Pinté un columpio y una escalera que llegaba hasta
la ventana, así quien estuviera debajo podría subir.
Mi hermana empezó a prestar atención.

Traje el exterior dentro de la habitación. Pinté pétalos flotantes que parecían confeti. Mi hermana se levantó y me ayudó. Dijo que a los lobos les gusta deambular, así que pintamos un campo muy espacioso.

Pintamos aves turquesas y

mariposas moradas en papel de colores.

Y Virginia contó una historia sobre un caracol con

el caparazón gris que se recorrió la tierra y alcanzó

la cima de una montaña sin darse cuenta.

Toda la casa se movió.

Lo de abajo pasó a arriba.

Lo sombrío se convirtió en brillante.

La tristeza llegó a ser feliz.

Cuando terminamos,

era pasada la medianoche.

Todos dormían profundamente.

A la mañana siguiente, mi hermana se despertó y dijo:

   —LAS FLORES SON LARGAS —asentí.

   —LOS ÁRBOLES PARECEN PIRULETAS —asentí otra vez.

   —ESE ARBUSTO PARECE UN ELEFANTE —se rio.

      —Lo odias —me quejé.

      —NO —dijo ella—. NO, ES PERFECTO. ME ENCANTA.

      Sonreí.

Parecía diferente, así que le pregunté cómo se sentía.

—MUCHO MEJOR —dijo, un poco avergonzada.

—¿De verdad que te sientes mejor? —le pregunté.

—Sí —sonrió y agarró mi mano.

—Y AHORA VAMOS FUERA A JUGAR.

A mis hermanas
(Nancy, Naomy, Kelly y Eliza)
y a todo el maravilloso grupo de Bloomsberry
(Isabelle, Tara y Karen P.),
con amor y mucha gratitud. K. M.

A mi querida y talentosa amiga Vanessa A.,
que es como una hermana para mí. I. A.

Texto © 2012 Kyo Maclear
Ilustraciones © 2012 Isabelle Arsenault

Published by permission of Kids Can Press Ltd.,
Toronto, Ontario, Canadá.

© De esta edición: Ediciones Jaguar, 2013
C/ Laurel 23, 1º. 28005 Madrid
www.edicionesjaguar.com

ISBN: 978-84-15116-75-2
Depósito legal: M-28011-2013